仕事に行ってきます⑨

物流センターの仕事

右京さんの1日

河津右京さんです。
ASKUL LOGIST株式会社の 福岡物流センターで、
はたらいています。

仕事をはじめて、9年がたちました。
5年前からは、キャプテンとして、
チームを まとめています。

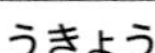

しごと

ぶつりゅう

これが、右京さんの　1日です。

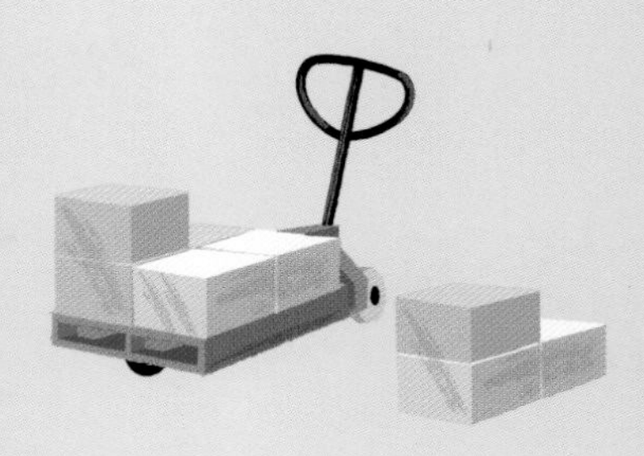

午前7時
起きる

午前7時30分
家を出る

午前9時
仕事をはじめる

午後1時15分
昼休けい

午後7時30分
仕事を終える

午後9時
家に帰る

午前1時
ねる

午前7時

朝7時に なりました。
右京さんが、起きる時間です。

右京さんは、お母さんと ふたりぐらしです。
お母さんは、もう 仕事に 行っています。

あさ

うきょう

おきる

ギリギリまで ねていたいので、

家を出るまでに 30分しか 時間がありません。

右京さんは 急いで、朝ごはんを 食べます。

うきょう

たべる

パン

午前7時30分

朝ごはんを 食べ終わりました。
歯をみがいて、服を着がえたら、
すぐに 家を出ます。

うきょう

いく

ぶつりゅうセンター

仕事場までは、バスと電車を 乗りついで 行きます。
いつも 音楽を 聞いています。

うきょう

きく

おんがく

右京さんの 仕事場が、
見えてきました。

仕事場は、
港の すぐ近くに あります。
ほかの会社の 物流センターも
たくさん 集まっています。

ぶつりゅうセンター

EVERGREEN

午前8時30分

仕事場に 着きました。
通勤には 1時間 かかります。

うきょう

つく

ぶつりゅうセンター

ここが、右京さんの 仕事場です。

えんぴつから、つくえまで、
毎日の生活で 使う商品が
およそ 3万しゅるいも あります。

ぶつりゅうセンター

作業着に着がえて、手ぶくろを はめたら、
準備完了です。

手ぶくろは 使いやすいように、
自分で 指先を 切りました。

うきょう

きる

しごとのふく

てぶくろ

午前9時

準備運動をしてから、朝礼です。
「おはようございます。朝礼を
はじめさせていただきます」と、右京さん。

今日は どんな作業があるのか、
何に気をつけるのかを、話します。
これも、キャプテンの 仕事です。

うきょう

あさ

あいさつ

なかま

1 入荷（にゅうか）

ほじゅう
右京（うきょう）さんの担当作業（たんとうさぎょう）

2 たな入（い）れ

さぁ、仕事（しごと）が はじまります。

物流（ぶつりゅう）センターの仕事（しごと）は 大（おお）きく、
『入荷（にゅうか）』『たな入（い）れ』『ピッキング』『こんぽう』『出荷（しゅっか）』の
5つの流（なが）れが あります。

3 ピッキング

4 こんぽう

5 出荷

右京さんは、
『たな入れ』と『ピッキング』の間にある
『ほじゅう』という作業を 担当しています。
足りなくなった 商品を、ピッキングだなに
追加する作業です。

右京さんは、もくもくと「ほじゅう」の 作業をします。

「みんなで やる 仕事なんですが、
　１つ１つの 作業は ひとりで やるので、
　自分に 合っているのかなと 思います」
と、右京さん。

うきょう

はこぶ

にもつ

ハンディという機械で、商品の 情報を
読み取りながら、作業をします。

ゲームが大好きな 右京さん。
どうしたら むだのない動きで 商品を 運べるか。
自分で考えて、それを クリアすることを、
楽しんでいます。

うきょう

はこぶ

にもつ

すき

KINGJIM

5年前から、
右京さんは キャプテンを
まかされることに なりました。
右京さんにとって、
大きなチャレンジでした。

「人と話すのが、苦手なので、
むりだと 思ったんですけど。
でも、すいせんを
もらったので、
やってみようと 思いました」
と、右京さん。

うきょう

せいちょう

キャプテン

たなに どれくらいの商品が あるか。
今日は どれくらいの『出荷』が あるか。

右京さんが、情報を集めて、
何を どれくらい 運ぶのか、考えます。

うきょう

かくにん

にもつ

仲間の 作業を、かくにんしたり、
相談に乗るのも、キャプテンの仕事です。

「年上の人に 作業を お願いするのが 苦手です。
5年たっても、自分の中では まだまだです」
と、右京さん。

うきょう

たすける

なかま

でも、上司の 坂井博基さんは、右京さんの
仕事ぶりを、みとめています。

「やっぱり 現場で 好かれる人じゃないと、
うまくいかないんです。
右京さんは みんなから たよりにされています」
と、坂井さん。

さかい

ひょうか

うきょう

「最近は どうすれば、仲間が 作業しやすくなるのかを
考えています」と、右京さん。

ずっと早歩きで、仕事場を 動きまわります。

うきょう

はこぶ

にもつ

午後1時15分

昼休みの 時間になりました。
右京さんは、いつも 食堂で
昼ごはんを 食べます。

食堂の昼ごはんを 社員は
タダで 食べられます。

うきょう

たべる

ごはん

昼休みは いつも ひとりで すごします。
「頭の中を からっぽにしたいんです」
と、右京さん。

音楽を聞きながら、昼ごはんを 食べます。

うきょう　すき　ひとり

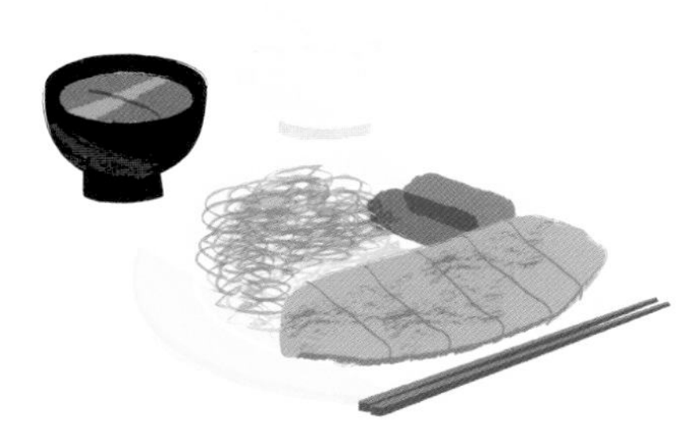

昼ごはんを 食べ終わりました。
休けい室で 少し ねます。

「つかれを 取るために はじめました。
ちょっと 楽になります」と、右京さん。

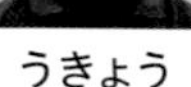
うきょう

きゅうけい

午後2時

昼礼をして、午後の作業が　はじまります。

黄色いぼうしは、キャプテンより
上の立場の人が　かぶっています。

うきょう

ひる

あいさつ

なかま

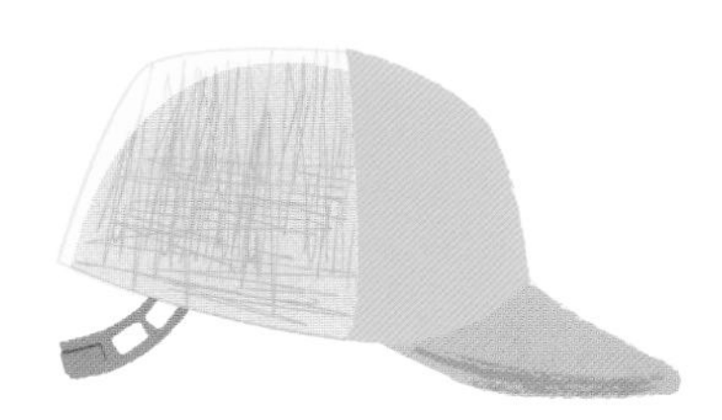

作業をしていると、上司の 坂井さんが、
右京さんに 声をかけました。

いっしょに フォークリフトを 見に行きます。
フォークリフトは、荷物を運ぶ 乗り物です。

さかい

うきょう

はなす

フォークリフトは、『入荷』や『出荷』の作業に
かかせません。
物流センターの中でも、むずかしい作業の1つです。

坂井さんは、右京さんに フォークリフトの
運転に チャレンジしてほしいと 考えています。

フォークリフト

車が好きな 右京さん。
フォークリフトを運転したいと
思いますが、自信がありません。

「集中力が つづかないので。
自分の中では、まだ 早いですね」と、右京さん。
坂井さんはまた、声をかけるつもりです。

さかい

すすめる

うきょう

フォークリフト

右京さんは、この物流センターに
はじめての『障害者雇用』として、入社しました。

それから 毎年 社員が入って、今では、
48人の しょうがいのある人が います。
しょうがいのある人も、ない人も、
いっしょに はたらきます。

なかま

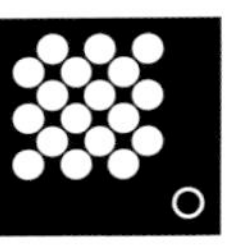

たくさん

右京さんと はたらく仲間を しょうかいします。

右にいるのは、山﨑哲平さんです。
特別支援学校を 卒業して、4年前から はたらいています。
2年前から、哲平さんの お父さんも はたらきはじめました。
仕事場では、哲平さんが 先ぱいです。

やまざき

おとうさん

はたらく

こちらは、右京さんの同級生の 森永結女さんと、
右京さんが 卒業した学校の 先生だった
寺田扶美鹿さん。

寺田さんは、学校を 定年後に
ここで はたらきはじめました。

もりなが

てらだ

はたらく

「右京さん、調子はどう？」と、寺田さん。
寺田さんは、ときどき 右京さんに 声をかけます。

「右京さんは すごく 変わりました。学校の時は、
なかなか 自分の気持ちが 外に出せなかったけど、
はたらきはじめて せっきょく性が
出るようになりました」と、寺田さん。

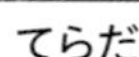
てらだ

ひょうか

うきょう

この物流センターは、だれにでも はたらきやすい
仕事場を 目指しています。
今では、外国の人や、
短かい時間しか はたらけない人など、
いろいろな人が はたらいています。

なかま

午後5時45分

午後5時45分に なりました。
毎日、この時間に キャプテン会議が
開かれます。

この後の 作業について、
話し合います。

キャプテン

はなす

この日(ひ)、右京(うきょう)さんは、

ちがうチームの 『ほじゅう』を

手伝(てつだ)うことに なりました。

うきょう

たすける

なかま

みんなで協力して、この日に
やるべき作業を 終わらせます。

「スピードも大切ですが、商品を きずつけないように、
気をつけています」と、右京さん。

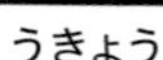

うきょう　おく　にもつ

商品は、取りやすいように
きれいに おきます。

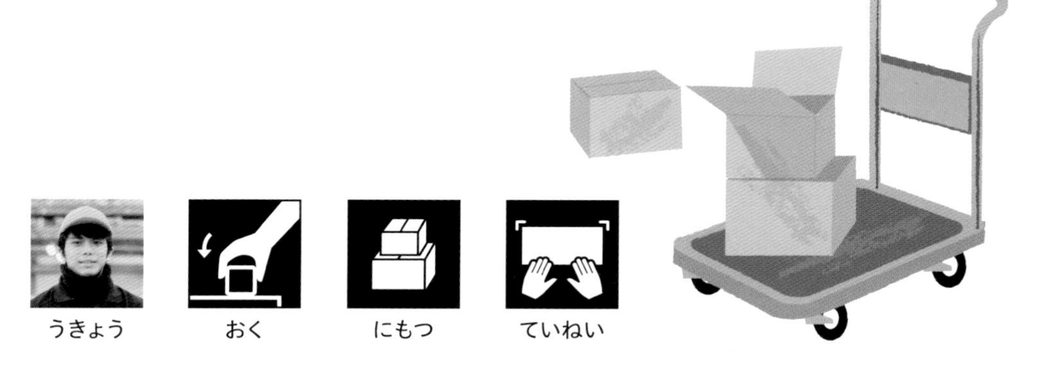

「新型コロナウイルスが はやりはじめて、
仕事が ふえました」と、右京さん。

マスクなどの 新型コロナウイルスのための 商品は、
あっという間に なくなります。

うきょう

いそがしい

しごと

人びとの生活に かかせない仕事をする人を
エッセンシャルワーカーと よびます。
物流の仕事も その1つです。

新型コロナウイルスで、
学校が休みの時も、店が閉まっていた時も
右京さんたちは 仕事を つづけました。

ぶつりゅう

たいせつ

午後7時30分

やっと 今日の仕事が 終わりました。

今日は これで 終わりですが、
残業がある日も あります。

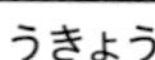

うきょう

しごと

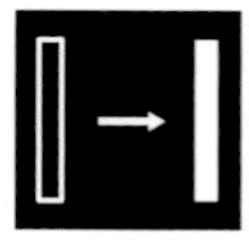

おわり

着がえをして、帰ります。
もう外は、真っ暗です。

うきょう

いく

いえ

右京さんは、ときどき 家に帰る前に、
コンビニに 行きます。
仕事中は ずっと 立ちっぱなし、歩きっぱなしで
おなかが へっているからです。

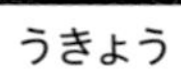
うきょう

いく

コンビニ

チキンを パクリ。
ちょっとした 息ぬきです。

うきょう

いきぬき

今日は お母さんが 仕事で おそくなります。
右京さんが お弁当を買って
帰ることに なりました。

うきょう

かいもの

べんとう

午後9時

家に帰ると、すぐに おふろに入ります。
お母さんも 帰ってきました。

いっしょに ばんごはんを 食べます。

うきょう

おかあさん

たべる

べんとう

午後10時

仕事のある日は、ここからが
やっと 右京さんの 自由時間です。

右京さんは、車のゲームが 好きです。
休みの日は 1日中
家で ゲームをします。

うきょう

すき

ゲーム

午前1時

仕事のある日も、ねる前に ゲームをします。
「やりすぎないように、1時には、
　ねるように しています」と、右京さん。

ねる 時間になりました。
おやすみなさい。

うきょう

ねる

ご家族や、学校の先生といっしょにお読みください

河津右京さんのこと、暮らしのこと、仕事のこと

右京さんのこと

- 河津右京さん
- 1994年1月生まれ(26歳)
- 特別支援学校高等部卒業(福岡)
- 知的障害(軽度)
- 好きなことは、ゲーム、音楽を聞くこと

右京さんの暮らし

- 住まいは、マンション(母親とふたり暮らし)
- 食事は朝食・夕食は家で。昼食は、仕事場の社員食堂で
- おこづかい(毎月)は、2000円くらい
- お金の管理は秘密です

右京さんの仕事

- 職場は、ASKUL LOGIST株式会社
福岡物流センター
- 仕事は、運搬業務
- 働きはじめてから、9年
- 雇用保険、社会保険がある
- 年収は、秘密です

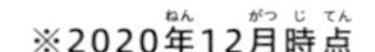

※2020年12月時点

●どうしてこの仕事を選んだのですか。

学生時代に実習で、デパートの清掃やスポーツ用品店での接客の仕事を体験しました。学校の推薦を受けて、約2年間、車の洗車のアルバイトもやりました。2週間ここで実習をやってみて、ほかの仕事と比べて、自分にとってやりやすい、長く続けやすいと思ったので、この仕事を選びました。

●いつも一生懸命仕事をされていますね。

自分で考えた流れで作業をやって、それがうまくいった時が楽しいです。スタッフにどう仕事を割り振るかによって、うまくいかなかったり、いったりします。決めた時間内で終わるように、いつもねらっています。

●仕事でつらいことはないですか。

忙しいのもありますが、相談できない、ためこんでしまうことがあるので、それがつらいことがあります。前よりは、現場のリーダーに相談できるようになってきましたが、ためこんでしまいます。

●ゲームがお好きなんですね。

友人から「週末はニートみたい」と言われるぐらい、休みの日は、ずっとゲームをしています。外に出た方がいいかなとも思っていて、キャンプにも興味があります。

●これからの目標はありますか。

大きな目標はないけど、今の仕事を長く、向上心を持って、続けたいです。

〈読者のみなさんへ〉

- あなたはこの仕事について、どう思いましたか？
- どこがいちばんおもしろかったですか？
- それはなぜですか？

せきにん者 坂井博基さんの話

●みんなが「本業」に関わる仕事をしています。

ASKUL LOGIST株式会社・福岡物流センターは、2011年から障害者雇用をはじめました。知的障害、精神障害の人を中心に、48人の社員が働いています。障害のある社員がイキイキとした表情で働ける様にしたいと、そのための体制づくり、環境づくりを心がけています。

まず、大切にしたことは、障害のある社員も、ほかの社員と区別なく、同じ作業場で、同じ仕事をしてもらうことです。障害のある社員も、本業である物流の仕事に携わり、ピッキング、商品補充、梱包、検品、事務など、幅広い業務についてもらっています。

●右京さんを、頼りにしています。

右京さんは、真面目で一生懸命。ぐちを言うこともありません。「コミュニケーションを取ることが苦手」と言っていますが、業務上の報連相（報告・連絡・相談）は、しっかり出来ています。

右京さんには、現在の職務における実績を積みながら、更に上位職へチャレンジしてもらいたい。そして、仕事の幅を広げるために、資格取得のチャレンジも考えてもらいたいと思っています。

●毎日、「目標」をつくってみよう。

仕事をする時に、「目標」があることが、大切だと思っています。

入社してしばらくの間は、その日の目標を、自分で考えて、「コミュニケーションノート」という連絡ノートに書いてもらっています。ほかの人と比べるのではなく、あくまで比べるのは、「過去の自分」です。小さな目標でもいいのです。そして、その目標を達成できたか、毎日確認します。そうすれば、次第にノートに書かなくても、右京さんのように、自分で目標を立てるのが習慣になってきます。目標を立てそれを達成することを繰り返すことは、自分の成長を実感でき、仕事のモチベーションにもつながると考えています。

●「先輩」がいるから、「後輩」がいるから、がんばれる。

毎年新卒者を採用しているのも、うちの特徴です。「障害者雇用の秘訣」を聞かれると、いつも「毎年、取り続けること」だと答えます。もちろん障害者雇用を拡大していくという大きな方針もありますが、新しい人が入ることは、すでに働いている人の成長にも、大きく関わると考えています。

後輩が入ると、1つ上の先輩がサポートにつくようにしています。社員同士で教え合う方が、結局いちばん伝わりやすいし、うまくいくように感じます。そう思って、毎年採用しているうちに、311人いる社員のうち、障害のある社員は48人となり、法定雇用率は24.2%になりました。

●自分の「好きな仕事」を見つけよう。

右京さんは、特別支援学校時代に、さまざまな仕事を体験し、「体を動かす」「ひとりで黙々と作業できる」といった自分に向いている作業を知り、「長く続けたい」と思える仕事を見つけることができました。

この本を読んでいるみなさんも、ぜひ好きな仕事を見つけてもらいたいです。「何がやりたいか」を考えてみましょう。「やらないといけない」仕事は、つらくなると思います。

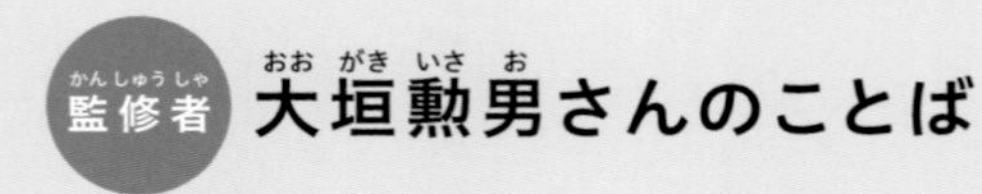

監修者 大垣勲男さんのことば

社会福祉法人 伊達コスモス21 理事長

右京さん、とてもステキですね。それは、仕事と仲間を大切にしているからです。どんな職場にも「仕事」があり、「仲間」がいますが、右京さんはそのどちらも大切にしているのが伝わってきます。

たいていの仕事はゆで卵のように2重構造になっています。黄色い黄身の部分は、自分に与えられた目の前の仕事を確実にできるだけ早くこなすこと、そして白身の部分は、自分以外の仲間の仕事を手伝ったりアドバイスしたりといった仲間を助けることです。右京さんはその2つができるようになったから、きっとキャプテンをまかされたのですね。この本を読まれた方は、どうかお友だちや家族とこの2つのことが右京さんのどんなところから感じられるか話し合ってみてください。

もう1つの右京さんのステキは、しんちょうな性格で自分のスタイルを持っていることだと思います。失敗をしないように、昼休みのすごし方やねる時間を決めていること、フォークリフトの運転をすぐにとびつかずに時機を見ているところです。このしんちょうさが正確な仕事ぶりにつながり、上司や仲間からの信頼をえているのもわかりますね。さいごに、誰にでも働きやすい仕事場を目指しているこの物流センターは良い職場だと思います。右京さんが、この職場をとおして自分に自信を持ち、成長していることがよくわかります。

野口武悟さんのことば

専修大学 文学部 教授

物流センターでキャプテンを務める河津右京さんの仕事ぶりはいかがでしたか。とても頼もしいですね。私たちの生活に欠かせない仕事の1つに物流があります。エッセンシャルワーカーである右京さんたちが働いてくれるからこそ、新型コロナウイルスの感染拡大で「緊急事態宣言」が出されても、私たちの生活は維持できるのです。

ところで、みなさんにとって、この本は読みやすかったですか。また、わかりやすかったですか。各ページに付いているピクトグラムという絵記号も読むのに役立ったでしょうか。

この本のような形態をLLブックといいます。LLは、スウェーデン語のLättlästの略語で、＜読みやすくて、わかりやすい＞という意味です。＜知的障害のある人や、母語の異なる人などに、年齢にあったさまざまなテーマを読みやすく、わかりやすく届けたい＞がLLブックのコンセプトです。

2019年の「読書バリアフリー法」制定などもあって、今、日本でもLLブックの必要性が高まっています。でも、まだ作品が少ない現状にあります。この本のテーマである「仕事」のほかにも、右京さんの好きな「ゲーム」などをテーマにしたLLブックがあってもよいでしょう。みなさんは、どんなテーマのLLブックがあったらよいと思いますか。希望がありましたら、ぜひ聞かせてください。

協力

JR九州リテール株式会社

株式会社ファミリーマート

制作スタッフ

【編集企画・文：季刊『コトノネ』編集部】

里見　喜久夫（編集長）

平松　郁（編集者）

【デザイン＆イラスト】

小俣　裕人（季刊『コトノネ』アートディレクター）

【写真撮影】

繁延　あづさ（カメラマン）

監修

大垣　勲男（社会福祉法人　伊達コスモス21　理事長）

働くことの意味や障害のある人の生き方についてアドバイス

監修

野口　武悟（専修大学　文学部　教授）

わかりやすい表現手法についてアドバイス

仕事に行ってきます⑨

物流センターの仕事

右京さんの１日

2021年3月25日 初版第1刷発行

発行者 並木則康

発行所 社会福祉法人埼玉福祉会 出版部

〒352-0023 埼玉県新座市堀ノ内3-7-31

電話 048-481-2188

印刷・製本 恵友印刷株式会社

同時発売！

仕事に行ってきます⑩
図書館の仕事
祥弘さんの１日